D1111150

NO CAISSE 001   NO TRANS. 4.6955
01/06/04   11 49:09   NO CLIENT   14098

C/P   QTE   REG. ES TE R%   MONTANT

162665   1 $15.95 7%0 N $14.83
DES CITATIONS POOR LE MANAGER PHILOSOPHE

* SOUS-TOTAL : $14.83
  T.P.S $1.04
** TOTAL $15.87

Comptant $20.00
  MONNAIE $4.13

500
CITATIONS
POUR LE MANAGER
PHILOSOPHE

de Confucius à Wolinski

Éditions d'Organisation
1, rue Thénard
75240 Paris Cedex 05
www.editions-organisation.com

Des mêmes auteurs
Chez le même éditeur

Luc BOYER et Romain BUREAU
**600 citations pour réfléchir avant d'agir,
de Socrate à Camus**

**400 citations pour le manager,
d'Héraclite à Woody Allen**

**Le temps en 350 citations,
d'Aristote à Oscar Wilde**

Luc BOYER et Noël ÉQUILBEY
Histoire du management

500
CITATIONS
POUR LE MANAGER
PHILOSOPHE

de Confucius à Wolinski

LUC BOYER
ROMAIN BUREAU

Cinquième tirage 2002

Éditions
d'Organisation

SOMMAIRE

INTRODUCTION

Les deux ouvrages précédents – *400 citations pour le Manager, d'Héraclite à Woody Allen* ; *600 citations pour réfléchir avant d'agir, de Socrate à Camus* – ont, en France et à l'étranger, rencontré de nombreux lecteurs ; aussi, avons-nous été incités à poursuivre notre quête. Nous avons été, bien sûr, influencés dans notre choix – volontairement ou non – par les modifications de l'environnement de la firme, par l'évolution de sa stratégie, de son organisation ou des comportements des dirigeants. Ainsi, nous proposons à nos fidèles lecteurs et à ceux qui les rejoindront, quelques 500 citations nouvelles, d'auteurs encore plus divers, éclairant – nous l'espérons – les problèmes actuels des managers.

Peut-être certains retrouveront-ils au hasard d'une page l'écho de thèmes débattus dans leur cadre professionnel ; par exemple : le contenu ou la valorisation du travail ; les limites ou les frontières de l'entreprise ; le rôle – diminué – d'intégrateur social de la firme ; les concepts de compétences individuelles ou organisationnelles ; l'inflation boulimique d'information ou communication bousculant les hiérarchies, accélérant les changements, hypertrophiant chaque événement ; l'intrusion massive du facteur « temps » dans le marketing ou le management.

Peut-être chercheront-ils un moment de détente, ou une connivence parfois ironique sur la vanité des organisations ou des hommes.

Les plus nombreux sans doute, comme nous-mêmes, pourront goûter le délice paradoxal que constitue l'intervention d'auteurs classiques dans une vie professionnelle peu encline à les accueillir, ou pour faire résonner en soi-même une phrase bien sentie et bien dite, comme l'écho d'une idée toute personnelle prenant soudainement forme et vie.

Paradoxe là aussi : si la brièveté des extraits paraît en totale harmonie avec l'accélération du temps et le besoin croissant de l'économiser et de l'utiliser au mieux, ce qu'ils recèlent de voies possibles pour la réflexion incite parfois à prendre le temps de les faire cheminer en soi pour mieux les prendre au mot. On aurait redécouvert le « *management minute* » avec recul, ce qui contrairement au canon, constitue vraisemblablement un progrès. G. B. Shaw disait s'être fait une réputation internationale en pensant deux à trois fois par semaine, alors que les personnes ordinaires pensaient, selon lui, deux à trois fois par an.

L'un des atouts majeurs de la citation à usage managérial tient dans l'autorité que confère un grand nom à une affirmation relevant parfois du simple bon sens, et dans le choix du moment retenu pour l'appeler à la barre. Il arrive parfois qu'on fasse dire à un auteur plus qu'il n'a voulu écrire et qu'on encoure à juste titre le reproche de Cocteau : *la source désapprouve presque toujours l'itinéraire du fleuve*. Ce qui importe en fin de compte c'est l'habileté, l'à-propos, la pertinence, bref, il s'agit de ne pas oublier le conseil d'Alain : *on prouve tout ce qu'on veut, la vraie difficulté est de savoir ce qu'on veut prouver.*

Il est également suggéré une certaine prudence dans l'application : se souvenir par exemple que le Nietzsche qui a écrit : « deviens ce que tu es » est mort fou, ouvre des horizons, fût-ce au deuxième degré. Citer Lénine ou Marx lors d'un conseil d'administration requiert une bonne maîtrise du clin d'œil. A fortiori, appeler une phrase d'Hitler pour illustrer un propos nécessite à l'évidence au moins un commentaire. Mais, au total, faire témoigner judicieusement tel ou tel homme célèbre à l'occasion d'un discours ou d'un rapport traduit un souci de forme. Cette manière – plus française, plus européenne que le joke à l'anglo-saxonne – d'agrémenter la parole ou l'écrit, peut être la marque de professionnels de qualité.

Le lecteur trouvera – ou retrouvera – les extraits et pensées classés par thème, chacun des thèmes correspondant à une dimension du management ou à une fonction de l'entreprise. Cette approche correspond au parti pris des rédacteurs : rapprocher les auteurs du lecteur en accompagnant ce dernier dans les différentes responsabilités du management. On trouve successivement les huit regroupements suivants :
– Anticipation, prévision, analyse.
– Innovation, remise en cause, changement.
– Mise en œuvre, action.
– Travail, production, vente, financement.
– Animation, motivation.
– Attitudes, comportements, caractères.
– Communication et image.
– Éthique et finalités.

Dans chacun des chapitres, les citations figurent selon l'ordre alphabétique du nom de leur auteur.

Afin de faciliter l'utilisation de ce guide, à la suite de chaque citation figurent, outre le nom de l'auteur, deux types d'information :
– une cote de difficulté :

   ✗   plutôt facile,

   ✗✗   plutôt difficile,

suivant que la compréhension ou l'usage de la citation nécessite plus ou moins de connaissance de l'auteur, du management,
– un signe qui suggère à quel emploi privilégié chacune d'entre elles pourrait être destinée :

   🎤   au cours d'un discours
   ✍   dans le cadre d'un rapport ou pour alimenter leur réflexion personnelle.

À la fin de l'ouvrage, les biographies des auteurs cités, dont la plupart ont trouvé leur source dans *Le Robert* (dictionnaire universel des noms propres), donnent des indications qui permettent de mieux comprendre le contexte des citations.

Un petit ouvrage comme celui-ci peut être ouvert à n'importe quelle page, fermé, repris, remisé sans que la lecture en soit dérangée d'aucune manière. Ce qui importe, c'est l'intérêt et le plaisir que pourra en tirer le lecteur ; ils seront l'aune exacte de notre récompense.

1

ANTICIPER, PRÉVOIR, DÉCIDER

Là où il n'y a pas de vision, les peuples périssent (1) ; *Les faits sont têtus* (1) ; *Avec le savoir croît le doute* (2).

Ces trois citations (La Bible, Lénine, Goethe), extraites de nos ouvrages précédents, illustrent en les rapprochant, l'absolue nécessité d'anticiper, et l'équation paradoxale du savoir et de l'audace qui y conduit. Ou quand l'intuition complète, voire court-circuite la raison et les technologies de l'information...

(1) Extrait de *600 citations pour réfléchir avant d'agir – de Socrate à Camus*, L. BOYER et R. BUREAU, Éditions d'Organisation.
(2) Extrait de *400 citations pour le manager – d'Héraclite à Woody Allen*, L. BOYER et R. BUREAU, Éditions d'Organisation.

✗	plutôt facile
✗✗	plutôt difficile
✎	au cours d'un discours
✐	dans le cadre d'un rapport ou pour alimenter leur réflexion personnelle

ANTICIPATION, PRÉVISON DÉCISION

1

« Le Maître influence l'éternité »

H.B. ADAMS

XX

2

« Il faut forcer la nature à aller aussi loin que notre esprit »

G. BACHELARD

X

3

« Nous ne percevons, pratiquement, que par le passé, le présent pur étant l'insaisissable progrès du passé rongeant l'avenir »

H. BERGSON

X

4

« Le temps est invention ou il n'est rien du tout »

H. BERGSON

X

5

« Comme la succession à venir finira par être une succession passée, nous nous persuadons que la durée à venir comporte le même traitement que la durée passée »

H. BERGSON

✗✗

6

« Impose ta chance, serre ton bonheur et va vers ton risque. À le regarder, ils s'habitueront »

R. CHAR

✗

7

« Catilina est aux portes de Rome et l'on délibère ! »

CICÉRON

✗✗

8

« Si on est droit, on n'a pas besoin de donner des ordres pour être écouté. Si on ne l'est pas, on a beau donner des ordres, on ne sera pas suivi »

CONFUCIUS

✗

9

« Je pris garde que, pendant que je voulais ainsi penser que tout était faux, il fallait nécessairement que moi qui le pensais, fasse quelque chose »

DESCARTES

✗✗

10

« Il n'y a de certain que le passé, mais on ne travaille qu'avec l'avenir »

Auguste DETŒUF

11

« Dieu ne joue pas aux dés »

EINSTEIN

12

« Si tu prends un rôle au-dessus de tes forces, non seulement tu y fais pauvre figure, mais encore tu laisses de côté un rôle que tu aurais pu remplir »

ÉPICTÈTE

13

« Prévoir, c'est à la fois supputer l'avenir et le préparer ; prévoir, c'est déjà agir »

H. FAYOL

14

« Face à l'événement, c'est à soi-même que recourt l'homme de caractère »

C. DE GAULLE

15

« S'il faut la force pour bâtir un État (...), l'effort guerrier ne vaut qu'en vertu d'une politique »

C. DE GAULLE

XX

16

« On démontre qu'une chose est conséquence d'une autre. Pour cela, on construit la conséquence avec l'hypothèse »

E. GOBLOT

XX

17

« Est dirigeant celui qui accepte de prendre les risques que les dirigés ne veulent pas prendre »

J. JAURÈS

X

18

« Tous les phénomènes sont, quant à leur intuition, des grandeurs extensives »

KANT

XX

19

« Le temps est un outil, pas un lit pour dormir »

J. F. KENNEDY

X

20

« Il est bon d'accoutumer aux grands événements quel-qu'un qu'on destine aux grandes aventures »

LACLOS

21

« La mémoire fournit une espèce de consécution aux âmes qui imite la raison, mais qui doit en être distin-guée »

LEIBNIZ

22

« Le plus grand risque serait de ne pas en prendre »

R. LÉVY

23

« Il n'est pas toujours nécessaire de faire des lois, mais il l'est toujours de faire exécuter celles qui ont été faites »

J. LOCKE

24

« Car la force est juste quand elle est nécessaire »

MACHIAVEL

25

« Il est plus sûr d'être craint que d'être aimé »

MACHIAVEL

26

« Le parti de la neutralité qu'embrassent le plus souvent les princes irrésolus, qu'effrayent les dangers présents, le plus souvent aussi les conduit à leur ruine »

MACHIAVEL

27

« Pour l'intellectuel, le chef politique est nécessairement un imposteur puisqu'il enseigne à résoudre les problèmes de la vie en ne les posant pas »

A. MALRAUX

28

« C'est idiot d'être roi, il faut faire un royaume »

A. MALRAUX

29

« Je hais les cœurs pusillanimes qui, pour trop prévoir, n'osent rien entreprendre »

MOLIÈRE

30

« La volonté du souverain est le souverain lui-même »

MONTESQUIEU

31

« Nous autres sommes l'exception et le danger... Or il y a quelque chose à dire en faveur de l'exception, pourvu qu'elle ne veuille jamais devenir la règle »

NIETZSCHE

32

« Nous connaissons la vérité, non seulement par la raison mais encore par le cœur, c'est de cette dernière sorte que nous connaissons les premiers principes »

PASCAL

33

« Le poste où l'on s'est soi-même placé, dans la pensée qu'il était le meilleur, ou qu'il nous était assigné par un chef, il faut y demeurer et en courir les risques sans tenir compte de la mort ni de rien d'autre sinon du déshonneur »

PLATON

34

« L'ordre est la première loi du ciel et j'avoue que certains sont et seront les maîtres du monde »

A. POPE

35

« On ne peut séparer propriété et pouvoir ; on peut simplement les faire changer de mains »

J. RANDOLPH

36

« Le premier qui ayant enclos un terrain s'avisa de dire : Ceci est à moi, et trouva des gens assez simples pour le croire, fut le vrai fondateur de la société civile »

J.-J. ROUSSEAU

37

« Pour être quelque chose, pour être soi-même et toujours un, il faut agir comme on parle ; il faut être toujours décidé sur le parti qu'on doit prendre, le prendre hautement et le suivre toujours »

J.-J. ROUSSEAU

38

« Pourquoi voudrais-je être Caton qui déchire ses entrailles, plutôt que César triomphant ? »

J.-J. ROUSSEAU

39

« Pouvoir ce que l'on veut et vouloir ce qu'il faut »

SAINT AUGUSTIN

40

« Un trône n'est qu'un bloc où chacun peut s'asseoir »

SAINT-JUST

41

« Une armée qui élit son chef est déclarée rebelle »

SAINT-JUST

42

« On ne peut point régner innocemment »

SAINT-JUST

43

« Quand je délibère, les jeux sont faits »

SARTRE

44

« De même que les administrations fonctionneraient de façon satisfaisante s'il n'y avait pas le public, de même les théories économiques seraient relativement faciles à établir sans la présence de cet insupportable gêneur qu'est l'homme »

A. SAUVY

45

« Toute chose singulière, c'est-à-dire finie, dépend d'une autre cause elle-même finie et ainsi à l'infini »

SPINOZA

✗✗ ✍

46

« La rivière n'atteindrait jamais la mer si les berges ne la contraignaient »

R. TAGORE

✗

47

« Pourquoi la règle qui est applicable à un homme ne le serait-elle pas également à tous les autres ? »

TOCQUEVILLE

✗

2

INNOVER, REMETTRE EN CAUSE, CHANGER

On a glosé à perte de vue sur la difficulté du changement, particulièrement en France, et sur la faiblesse de notre balance des brevets. Outre que ces constats sont largement illusoires, ou si l'on préfère, circonscrits à quelques secteurs bien identifiés, aucune école de management, si moderne soit-elle, n'a pu démontrer qu'une parcelle d'ordre et de sécurité fût totalement superflue pour permettre à une organisation d'adapter en permanence ses produits et son fonctionnement. Même un humoriste comme Twain prévient : *on ne se débarrasse pas d'une habitude en la jetant par la fenêtre, il faut lui faire descendre l'escalier marche par marche* (1).

---

(1) Extrait de *400 citations pour le manager – d'Héraclite à Woody Allen*, L. BOYER et R. BUREAU, Éditions d'Organisation.

✗	plutôt facile
✗✗	plutôt difficile
🎤	au cours d'un discours
✍	dans le cadre d'un rapport ou pour alimenter leur réflexion personnelle

INNOVATION, REMISE EN CAUSE, CHANGEMENT

48

« La fonction de penser ne se délègue pas »

ALAIN

49

« Depuis que l'avion s'est envolé sans la permission des théoriciens, les techniciens se moquent des théoriciens »

ALAIN

50

« Il vient un temps où l'esprit aime mieux ce qui confirme son savoir que ce qui le contredit, où il aime mieux les réponses que les questions. Alors l'instinct conservatif domine, la croissance spirituelle s'arrête »

G. BACHELARD

51

« Vos idées, j'entends bien, mais votre soif ? »

M. BARRÈS

52

« Être d'avant-garde, c'est savoir ce qui est mort ; être d'arrière-garde, c'est l'aimer encore »

R. BARTHES

53

« L'imagination, grâce à sa nature suppléante, contient l'esprit critique »

BAUDELAIRE

54

« On n'attend pas l'avenir comme on attend un train. L'avenir on le fait »

G. BERNANOS

55

« À la source de toute connaissance, il y a une idée, une pensée, puis l'expérience vient confirmer l'idée »

C. BERNARD

56

« L'avenir ne se prévoit pas, il se prépare »

M. BLONDEL

57

« Tout ce qui nous aidera, plus tard, à nous dégager de nos déconvenues s'assemble autour de nos premiers pas »

R. CHAR

58

« Dans un si grand revers que vous reste-t-il ? – Moi »

CORNEILLE

59

« Plus de sang-froid, plus de jugement, plus d'instinct, plus de ressources »

DIDEROT

60

« L'imagination est plus importante que la connaissance »

EINSTEIN

61

« Raisin vert, raisin mûr, raisin sec, tout est changement ; non plus pour ne plus être, mais pour devenir ce qui n'est pas encore »

ÉPICTÈTE

62

« Les rêves des philosophes ont de tout temps suscité les hommes d'action qui se sont mis à l'œuvre pour les réaliser. Notre pensée crée l'avenir »

A. FRANCE

63

« Il est indispensable d'espérer pour entreprendre »

Y. GATTAZ

64

« C'est purement négatif de toujours remettre tout en cause, c'est, en somme, la marque des faibles, des incapables »

C. DE GAULLE

65

« Un homme ne va jamais plus loin que lorsqu'il ignore où il va »

J. GIONO

66

« Les grecs ont embelli les débuts de la culture et les ont vénérés comme des choses divines... Ainsi on confère le plus grand honneur à l'invention humaine en tant qu'elle subjugue les choses naturelles et se les approprie pour l'usage »

HEGEL

67

« Écouter la forêt qui pousse plutôt que l'arbre qui tombe »

HEGEL

68

« L'évolution n'est pas une simple éclosion sans peine et sans lutte, comme celle de la vie organique, mais le travail dur et forcé sur soi-même »

HEGEL

69

« Rien n'est donné. Tout est à prendre – à apprendre »

E. JABES

70

« Tous les changements arrivent suivant la loi de liaison entre la cause et l'effet »

KANT

71

« Une proposition incorrecte est forcément fausse, mais une proposition correcte n'est pas forcément vraie »

KANT

72

« Le génie, c'est l'erreur dans le système »

Paul KLEE

✗✗

73

« Le voyage de mille lieues a commencé par un pas »

LAO-TSEU

✗

74

« Si tu n'as pas de prunelle, tu manqueras de lumière »

L'ECCLÉSIASTIQUE

✗

75

« La fonction de la mémoire est aussi importante que celle du calcul »

J. LE GOFF

✗

76

« Il est plus agréable et plus utile de faire l'expérience d'une révolution que d'en écrire »

LÉNINE

✗ 🖋

77

« Quant aux créations de l'esprit humain, leur sens n'existe que par rapport à lui et elles se confondront au désordre dès qu'il aura disparu »

C. LÉVI-STRAUSS

78

« En matière d'administration, toutes les réformes sont odieuses »

LOUIS XI

79

« Il est des idées dont la rencontre est aussi présente que celle des êtres »

A. MALRAUX

80

« Il faut soixante ans pour faire un homme, et après il n'est bon qu'à mourir »

A. MALRAUX

81

« Notre civilisation, qui n'a su construire ni un temple ni un tombeau, et qui peut tout enseigner sauf à devenir un homme, commence à connaître ses crises profondes »

A. MALRAUX

82

« La nouvelle civilisation ressemble aux appartements déjà vides : on attend les déménageurs »

A. MALRAUX

83

« J'ai assez d'idées pour qu'on puisse me voler sans me nuire »

A. MALRAUX

84

« La compréhension des documents relatifs au passé... n'est pas différente, d'un point de vue logique, de la compréhension des signes et des indices qui nous rendent possible la connaissance d'autrui dans l'expérience et le présent »

H. MARROU

85

« Seule l'institution durable à l'infini fait durer le meilleur de nous »

C. MAURRAS

86

« Copier sur un seul, c'est du plagiat. Copier sur deux, c'est de la recherche » W. MIZNER

87

« Le chemin est long du projet à la chose »

MOLIÈRE

88

« Rêver, c'est informer l'avenir »

G. NEVEU

89

« La volonté est, pour tout ce qui est passé, un méchant spectateur »

NIETZSCHE

90

« Désapprendre nos antinomies (matériel – immatériel, mort – vivant, logique – illogique), voilà notre tâche »

NIETZSCHE

91

« Nous rêvons de voyager à travers l'univers : l'univers n'est-il donc pas en nous ? »

NOVALIS

92

« Toute culture naît du mélange, de la rencontre, des chocs. À l'inverse, c'est de l'isolement que meurent les civilisations »

O. PAZ

93

« Ce qui m'étonne, dit Dieu, c'est l'espérance »

C. PÉGUY

94

« C'est avec la logique que nous prouvons et avec l'intuition que nous trouvons »

H. POINCARÉ

95

« Le progrès n'a aucun caractère inéluctable, rien ne garantit des lendemains meilleurs »

K. POPPER

96

« La critique est le seul instrument de vérification d'une théorie économique »

K. POPPER

97

« Ne surestimez pas vos propres idées ! »

K. POPPER

98

« Qui sait si la vérité n'est pas triste »

RENAN

99

« Qu'est-ce que le temps ? Si personne ne me pose la question, je sais ; s'il me faut l'expliquer à qui m'interroge, je ne sais pas »

SAINT AUGUSTIN

100

« Le passé, voilà le véritable enfer, on n'en sort jamais »

A. SALACROU

101

« Tout organisme social qui doit se réformer le fait plus facilement par additions que par soustractions »

A. SAUVY

102

« En matière sociale, la grande difficulté est de détruire »

A. SAUVY

103

« Le monde visible n'est que le miroir de la volonté »
SCHOPENHAUER

104

« Le client n'est pas la source de l'innovation »
J. A. SCHUMPETER

105

« Entreprendre consiste à changer un ordre existant »
J. A. SCHUMPETER

106

« Nous sommes tissés de l'étoffe dont sont faits nos rêves »

SHAKESPEARE

107

« Tout abstrait est un extrait »

H. TAINE

✗✗

108

« Tout n'est que fumée et vapeurs... Tout semble changer : partout se dressent de nouvelles images, un événement suit l'autre et pourtant tout reste pareil, tout se dépêche, tout se hâte pour disparaître on ne sait où sans avoir abouti à rien. Le vent souffle d'ailleurs tout se jette de l'autre côté et le même jeu recommence, inquiétant, monotone et vain... Fumée... Fumée... »

TOURGUENIEV

✗✗

109

« L'histoire est la science des choses qui ne se répètent pas »

P. VALÉRY

✗ 🖋

110

« Nous entrons dans l'avenir à reculons » P. VALÉRY

✗ 🖋

111

« L'avenir ne nous apporte rien, ne nous donne rien ; c'est nous qui, pour le construire, devons tout lui donner, lui donner notre vie elle-même. Mais pour donner il faut posséder, et nous ne possédons d'autre vie, d'autre sève, que les trésors hérités du passé et digérés, assimilés, recréés par nous »

S. WEIL

✗✗

« Quand le sage montre la lune, l'imbécile regarde le doigt »

PROVERBE CHINOIS

✗

3

AGIR,
METTRE EN ŒUVRE

Entre la spéculation improductive et l'action sans cesse irréfléchie, il y a place pour une logique de la mise en œuvre qui tienne tant de l'apprentissage que du retour d'expérience. Un peu de réussite ne peut pas faire de mal et plus l'on travaille, plus on a de la chance. Comme l'écrivait Churchill : *ce que vous appelez chance, c'est l'attention aux détails* (1).

---

(1) Extrait de *400 citations pour le manager – d'Héraclite à Woody Allen*, L. BOYER et R. BUREAU, Éditions d'Organisation.

✗	plutôt facile
✗✗	plutôt difficile
🎤	au cours d'un discours
✍	dans le cadre d'un rapport ou pour alimenter leur réflexion personnelle

MISE EN ŒUVRE, ACTION

113

« J'ai appris que tout pouvoir pense continuellement à se conserver, à s'affirmer, à s'étendre et que cette passion de gouverner est sans doute la source de tous les maux humains »

ALAIN

XX ✍

114

« Tout pouvoir aime la guerre, la cherche, l'annonce et la prolonge, par un instinct sûr et par une prédilection qui lui rend toute sagesse odieuse »

ALAIN

XX ✍

115

« La nature d'une chose, c'est sa fin, ce qui est chaque chose une fois sa croissance achevée »

ARISTOTE

XX ✍

116

« Avoir du pouvoir, c'est contrôler le temps des autres le sien propre, le temps du présent et celui de l'avenir, le temps du passé et celui des mythes »

J. ATTALI

XX ✍

117

« Toute objectivité dûment vérifiée, dément le premier contact avec l'objet »

G. BACHELARD

118

« Vous ne rencontrez nulle part, dans la nature, deux objets identiques ; dans l'ordre naturel, deux et deux ne peuvent donc jamais faire quatre »

H. BALZAC

119

« Je n'ai qu'une seule bonne qualité, c'est la persistante énergie des rats, qui rongeraient l'acier s'ils vivaient autant que les corbeaux »

H. BALZAC

120

« La spéculation est un luxe, tandis que l'action est une nécessité »

BERGSON

121

« Dans tout germe vivant, il y a une idée créatrice qui se développe et se manifeste par l'organisation. Pendant toute sa durée l'être vivant reste sous l'influence de cette force vitale créatrice, et la mort arrive lorsqu'elle ne peut plus se réaliser »

C. BERNARD

122

« La vie n'est incohérente que pour les intelligences incapables de démêler les causes »

P. BOURGET

123

« Ce n'est pas être, pour un homme, que de ne pas agir »
P. CLAUDEL

124

« Dans la vie, on ne regrette que ce qu'on n'a pas fait »
J. COCTEAU

125

« Une peau de tigre et de léopard ne se distinguent pas d'une peau de chien ou de brebis, si le poil en est raclé »
CONFUCIUS

126

« La bureaucratie est un système d'organisation inca-pable de se corriger en fonction de ses erreurs et dont les dysfonctionnements sont devenus un des éléments essentiels de l'équilibre »

M. CROZIER

127

« Je doute, donc je suis, ou bien, ce qui est la même chose, je pense, donc je suis »

DESCARTES

XX

128

« La connaissance peut quelquefois être claire sans être distincte (ce peut être le cas de la douleur) mais elle ne peut jamais être distincte qu'elle ne soit claire par même moyen »

DESCARTES

XX

129

« Une once d'action vaut une bonne théorie »

F. ENGELS

X

130

« Diviser les forces ennemies est bien mais diviser ses propres forces est une lourde faute »   H. FAYOL

X 🖊

131

« Les plus nobles principes du monde ne valent que par l'action »   C. DE GAULLE

X 🖊

132

« Je dis qu'il faut que celui qui s'occupe d'administration sans être prince régnant soit ou un philistin, ou un coquin, ou un fou »   GOETHE

133

« Quoi que l'homme entreprenne et fasse, l'individu ne se suffit pas, la société reste le suprême besoin de tout homme de valeur. Tous les hommes utiles doivent être en rapport les uns avec les autres, de même que l'entrepreneur se réfère à l'architecte et celui-ci au maçon et au charpentier »   GOETHE

134

« Un individu ne peut pas plus sortir de la substance de son temps qu'il ne peut de sa peau »   HEGEL

135

« Ce qui s'oppose coopère et, de la lutte des contraires, procède la plus belle harmonie »

HÉRACLITE

136

« Ceux qui vivent sont ceux qui luttent »

V. HUGO

137

« Nous voyons bien des successions, jamais des causalités »

HUME

✗

138

« La raison peut nous avertir de ce qu'il faut éviter : l'intuition seule dit ce qu'il faut faire »

J. JOUBERT

✗

139

« On peut toujours plus que ce que l'on croit pouvoir »

J. KESSEL

✗

140

« Tous les hommes politiques appliquent sans le savoir les recommandations d'économistes souvent morts depuis longtemps et dont ils ignorent le nom »

KEYNES

✗

141

« Nous ne sommes qu'empiriques dans les trois quarts de nos actions »

LEIBNIZ

✗✗

142

« Nous avons tenu un jour de plus que la Commune de Paris ! »

LÉNINE

143

« Efforcez-vous d'entrer par la porte étroite »

LUC XIII

144

« Vous devez savoir qu'il y a deux manières de combattre : l'une avec les lois, l'autre avec la force ; la première est propre à l'homme, la seconde est celle des bêtes ; mais comme la première, très souvent, ne suffit pas, il convient de recourir à la seconde »

MACHIAVEL

145

« Les idées ne sont pas faites pour être pensées mais vécues »

A. MALRAUX

146

« L'absence de finalité donnée à la vie est devenue une condition de l'action »

A. MALRAUX

147

« Toutes choses s'enchaînent entre elles et leur connexion est sacrée et aucune, peut-on dire, n'est étrangère aux autres, car toutes ont été ordonnées ensemble et contribuent ensemble au bel ordre du même monde »

MARC AURÈLE

✗

148

« Le droit ne peut jamais être plus élevé que l'ordre économique et que le degré de civilisation qui y correspond »

K. MARX

✗✗

149

« Tout ce que tu peux régler pacifiquement, n'essaie pas de le régler par une guerre ou un procès »

MAZARIN

✗

150

« Le gouvernement est comme toutes les choses du monde ; pour le conserver il faut l'aimer »

MONTESQUIEU

✗

151

« La monarchie se perd, lorsqu'un prince croit qu'il montre plus sa puissance en changeant l'ordre des choses qu'en les suivant ; lorsqu'il ôte les fonctions naturelles des uns pour les donner arbitrairement à d'autres, et lorsqu'il est plus amoureux de ses fantaisies que de ses volontés »

MONTESQUIEU

✗✗

152

« Une capitulation est essentiellement une opération par laquelle on se met à expliquer, au lieu d'agir »

PÉGUY

153

« Celui qui discourt sur les hommes doit considérer les choses qui se passent comme d'un lieu élevé : troupeaux, armées, travaux agricoles, mariages, ruptures, naissances, décès, jugements, déserts, tribus de barbares, fêtes, deuils, réunions publiques, tout ce mélange universel et ce bel ordre d'ensemble qui naît des contraires » PLATON

154

« Chacun, parce qu'il pense, est seul responsable de la sagesse ou de la folie de sa vie, c'est-à-dire de sa destinée »

PLATON

155

« Un bon général doit non seulement connaître le moyen de vaincre, mais aussi savoir quand la victoire est impossible » POLYBE

156

« Il suivait son idée. C'était une idée fixe, et il était surpris de ne pas avancer »

J. PRÉVERT

157

« Jeunesse gloutonne, jamais ne jeûne, tout lui est bon :
il écure, il évide. Même le vide »

G. PUEL

158

« Jusqu'alors les Romains s'étaient contentés de pratiquer la vertu ; tout fut perdu quand ils commencèrent
à l'étudier »

J.-J. ROUSSEAU

159

« Qu'on dise il osa trop, mais l'audace était belle et de
moins grands que lui eurent plus de bonheur »

SAINTE-BEUVE

160

« L'homme est, sans un seul moment de repos, créateur
des choses définitives »

A. SALACROU

161

« Le concret, c'est l'homme dans le monde »

SARTRE

162

« Serions-nous muets et cois comme des cailloux, notre passivité même serait une action »

SARTRE

163

« Nos doutes nous assaillent et nous font échouer. Et nous manquons le but que nous pourrions atteindre par crainte seulement de ne point l'atteindre »

SHAKESPEARE

164

« Là où ils font un désert, ils disent qu'ils apportent la paix »

TACITE

165

« Partout où à la tête d'une entreprise nouvelle vous voyez en France le gouvernement et en Angleterre un grand seigneur, comptez que vous apercevrez aux États-Unis une association »

TOCQUEVILLE

166

« Il y a plus de lumière et de sagesse dans beaucoup d'hommes réunis que dans un seul »

TOCQUEVILLE

167

« Il y a deux sortes de chefs d'orchestre : ceux qui ont la partition dans la tête et ceux qui ont la tête dans la partition »

A. TOSCANINI

✗

168

« L'homme est né pour l'action, comme le feu tend en haut et la pierre en bas »

VOLTAIRE

✗

169

« Il n'y a pas une structure meilleure mais différentes structures qui sont les meilleures dans différentes conditions »

J. WOODWARD

✗

170

« Nous sommes comme les grains de sable sur la plage, mais sans les grains de sable, la plage n'existerait pas »

PROVERBE JAPONAIS

✗

4

TRAVAILLER, PRODUIRE, VENDRE, FINANCER

Produire, vendre : au-delà de la satisfaction et de l'anticipation, essentielles, de l'attente du client, il reste, après l'effondrement de la voie politique et économique soviétique, de nombreuses interrogations autour de la consécration du profit, de la concurrence, de la propriété et sur la place et le sens que le siècle prochain allouera au travail ; quitte à faire mentir Mirabeau, qui ne reconnaissait que trois manières d'exister dans la société : *il faut y être mendiant, voleur, ou salarié* (1).

---

(1) Extrait de *600 citations pour réfléchir avant d'agir – de Socrate à Camus*, L. BOYER et R. BUREAU, Éditions d'Organisation.

✗	plutôt facile
✗✗	plutôt difficile
🎙	au cours d'un discours
✍	dans le cadre d'un rapport ou pour alimenter leur réflexion personnelle

TRAVAIL, PRODUCTION, VENTE, CONQUÊTE

171

« Le travail a des exigences étonnantes, il ne souffre point que l'esprit considère des fins lointaines ; il veut toute attention. Le faucheur ne regarde pas au bout du champ »

ALAIN
XX

172

« L'argent, tout compte fait, aide à supporter la pauvreté »

A. ALLAIS
X

173

« Un paresseux est un homme qui ne fait pas semblant de travailler »

A. ALLAIS
X

174

« Quand on ne travaillera plus le lendemain des jours de repos, la fatigue sera vaincue »

A. ALLAIS
X

175

« Veuillez nous retourner cette dernière livraison d'acide sulfurique ; si notre produit a vraiment le goût de bouchon que vous nous signalez, on vous le remplacera »

A. ALLAIS

176

« Politiquement, le libéralisme prêche la limitation du pouvoir étatique ; dans l'ordre économique il se fie aux vertus de l'initiative individuelle et à la main invisible, à la conciliation, grâce aux mécanismes du marché, entre l'égoïsme de chacun et le bien de tous » R. ARON

177

« L'information mathématique nous donne plus que le réel, elle nous donne le plan du possible, elle déborde l'expérience effective de la cohérence ; elle nous livre le compossible » G. BACHELARD

178

« Après avoir formé dans les premiers efforts de l'esprit scientifique, une raison à l'image du monde, l'activité spirituelle de la science moderne s'attache à construire un monde à l'image de la raison » G. BACHELARD

179

« La prospérité porte avec elle une ivresse à laquelle les hommes inférieurs ne résistent jamais » BALZAC

180

« La meilleure façon de lutter contre le chômage, c'est de travailler »

R. BARRE

181

« Détruire la concurrence, c'est tuer l'intelligence »

F. BASTIAT

182

« Tâchez d'anoblir la pauvreté des moyens par l'importance des objets : voilà toute la politique, ou je meure ! »

BEAUMARCHAIS

183

« Il est de l'intérêt du loup que les moutons soient gras et nombreux »

J. BENTHAM

184

« La diligente abeille n'a pas de temps pour la tristesse »

W. BLAKE

185

« (L'égalité) n'existe que lorsque chacun produira selon ses forces et consommera selon ses besoins »

L. BLANC

XX

186

« Le rapport entre pauvres et riches est l'unique élément révolutionnaire au monde (...) Engraissez les paysans et la Révolution est frappée d'apoplexie »

G. BÜCHNER

XX

187

« La pensée du profit obscurcit nos émotions »

L. CALAFERTE

X 🖊

188

« D'un auteur, seules comptent les œuvres »

I. CALVINO

X 🖊

189

« Je suis un artisan maniaque. Mes frégates ont le monde entier contre elles, elles doivent sortir impeccables des jetées »

CÉLINE

X

190

« Quelle sera la société nouvelle ? Je l'ignore. Ses lois me sont inconnues. Comment les fortunes se nivelleront-elles, comment le salaire se balancera-t-il avec le travail, comment la femme parviendra-t-elle à l'émancipation légale ? Jusqu'à présent, la société a procédé par agrégation et par famille »   CHATEAUBRIAND

✗

191

« En fait, les nations les plus fortes sont celles qui, comme la Prusse ou le Japon, partirent de petits commencements et furent assez peu fières pour se mettre aux pieds de l'étranger et tout apprendre de lui »

G.K. CHESTERTON

✗✗

192

« Il n'est d'industrie durable que celle qui vend de la bonne qualité »   A. DETŒUF

✗

193

« Essayez d'enfoncer dans la tête de vos ingénieurs cette idée : quand un client se plaint, il y a quatre-vingt-dix-neuf chances sur cent pour que les clients ne se plaignent plus »   A. DETŒUF

✗✗ ✍

194

« Ne vous plaignez jamais du client à caractère difficile car il est la cause de vos progrès. Traitez les autres mieux encore : ils sont les raisons de vos bénéfices »

A. DETŒUF

✗ ✍

195

« L'observation recueille les faits ; la réflexion les combine ; l'expérience vérifie le résultat de la combinaison »

DIDEROT

XX

196

« C'est peut-être chez les artisans qu'il faut aller chercher les preuves les plus admirables de la sagacité de l'esprit, de sa patience et de ses ressources »

DIDEROT

X

197

« L'organisation est une machine à maximiser les forces humaines »

P. DRUCKER

X

198

« Il n'y a rien de bon pour l'homme que de se réjouir de ses œuvres »

L'ECCLÉSIASTE

X

199

« La négation de l'idée industrielle est la spéculation »

HENRY FORD

XX

200

« Aucune nation n'a jamais été ruinée par le commerce »
B. FRANKLIN

201

« Les bienfaits des progrès techniques profitent seulement à ceux qui ont préalablement reçu l'éducation leur permettant le choix et la jouissance »
G. FRIEDMANN

202

« Cinquante heures par semaine de travail sur la chaîne d'assemblage des moteurs d'une usine d'automobiles sont-elles, en soi, plus attrayantes à Gorki qu'à Detroit ? »
G. FRIEDMANN

203

« La production en série semble, en bien des cas, exiger des personnalités atrophiées ou diminuées »
G. FRIEDMANN

204

« Le développement du « technicisme » dans les sociétés contemporaines (...) est un danger et, si l'on excepte l'autodestruction par les armes atomiques ou biologiques, le plus grave qui menace l'humanité du XXe siècle »
G. FRIEDMANN

205

« Ils voulaient des bras et ils eurent des hommes »

M. FRISCH

206

« C'est un fait bien digne de remarque que ni les textes du droit romain, ni même les articles du Code civil français, issu pourtant de la Révolution, n'ont fait figurer le travail au nombre des divers modes d'acquisition de la propriété qu'ils énumèrent »

C. GIDE

207

« C'est par la médiation du travail que la conscience vient à soi-même »

HEGEL

208

« Dans la machine, l'homme supprime même cette activité formelle qui est sienne et fait complètement travailler cette machine pour lui »

HEGEL

209

« La chouette de Minerve ne prend son vol qu'à la tombée de la nuit »

HEGEL

210

« Il ne s'agit pas d'être modeste, mais d'être le premier »
HÉRAULT DE SÉCHELLES

211

« Une machine peut faire le travail de 50 personnes ordinaires. Aucune machine ne peut faire le travail d'un homme extraordinaire »

E. HUBBARD

212

« Ce n'est pas que l'argent n'ait pas d'odeur, c'est que l'homme n'a pas d'odorat »

H. JEANSON

213

« Des concepts sans matière sont vides »

KANT

214

« Le travail est l'activité vitale propre au travailleur, l'expression personnelle de sa vie »

KANT

215

« Lorsque dans un pays le développement du capital devient le sous-produit d'une activité de casino, il risque de s'accomplir en des conditions défectueuses »

KEYNES

✗✗ ✍

216

« Entre le fort et le faible, entre le riche et le pauvre, entre le maître et le serviteur, c'est la liberté qui opprime et la loi qui affranchit »

LACORDAIRE

✗✗ ✍

217

« Chaque corps organique d'un vivant est une espèce d'automate naturel »

LEIBNIZ

✗ ✎

218

« Selon l'expérience de chaque jour, la propriété devient plus féconde à mesure que le propriétaire est plus libre d'en jouir à son gré et de la transmettre sans aucune intervention de l'autorité »

F. LE PLAY

✗✗ ✍

219

« L'un a besoin de l'autre : le capital n'est rien sans le travail, le travail rien sans le capital »

LÉON XIII

✗

220

« (Le travail) est la source unique d'où procède la richesse des nations »

LÉON XIII

✗

221

« Entre 18 et 20 ans, la vie est comme un marché où l'on achète des valeurs non avec de l'argent, mais avec des actes. La plupart des hommes n'achètent rien »

A. MALRAUX

✗✗ ✍

222

« L'ouvrier agricole

    Il est très pauvre. Avec sa bêche
    Il soulève le monde et la lumière autour de lui
    L'entoure d'un éclat qui n'a jamais servi »

J. MALRIEU

✗✗

223

« Pour les démocrates d'aujourd'hui, l'effort le plus urgent est de développer la justice sociale et d'améliorer l'organisation économique mondiale »

J. MARITAIN

✗ ✍ ✍

224

« Le mode de production de la vie matérielle conditionne le processus de vie sociale, politique et intellectuel en général. Ce n'est pas la conscience des hommes qui détermine leur être ; c'est inversement leur être social qui détermine leur conscience »

K. MARX

✗✗ ✍

225

« On en vient donc à ce résultat que l'homme (ouvrier) ne se sent plus librement actif que dans ses fonctions animales, manger, boire et procréer, tout au plus encore dans l'habitation, la parure, etc., et que, dans ses fonctions d'homme, il ne se sent plus qu'animal »   K. MARX

XX ✍

226

« Une conséquence immédiate du fait que l'homme est rendu étranger au produit de son travail : l'homme est rendu étranger à l'homme »   K. MARX

XX ✍

227

« Le domaine de la liberté commence là où s'arrête le travail déterminé par la nécessité (...) ; que commence ce développement des forces humaines qui est à lui-même son propre but... la réduction de la journée de travail est la condition fondamentale »   K. MARX

XX ✍

228

« L'erreur de Karl Marx est d'avoir cru que l'économie conditionnerait la technique alors que c'est l'inverse »
M. MAUSS

X

229

« L'argent est un bon serviteur et un mauvais maître »
MONTESQUIEU

X

230

« Les lois ont un très grand rapport avec la façon dont les divers peuples se procurent la subsistance. Il faut un code de lois plus étendu pour un peuple qui s'attache au commerce et à la mer, que pour un peuple qui se contente de cultiver ses terres »   MONTESQUIEU

✗

231

« Quelle misérable chose que l'homme ! Ne pas pouvoir seulement sauter par sa fenêtre sans se casser les jambes ! Être obligé de jouer du violon à dix ans pour devenir un musicien passable ! Apprendre à être peintre, pour être palefrenier ! Apprendre pour faire une omelette ! »

A. DE MUSSET

✗

232

« L'abus de la propriété doit être réprimé toutes les fois qu'il nuit à la société »   NAPOLÉON

✗

233

« Je sais calculer le mouvement des corps pesants, mais pas la folie des foules »   NEWTON

✗

234

« Ainsi une société où l'on travaille sans cesse durement jouira d'une plus grande sécurité et c'est la sécurité que l'on adore maintenant comme divinité suprême »

NIETZSCHE

✗

235

« La valeur d'une chose réside parfois non dans ce qu'on gagne en l'obtenant, mais dans ce qu'on paye pour l'acquérir, dans ce qu'elle coûte »

NIETZSCHE

236

« Il faut se méfier des ingénieurs, ça commence par la machine à coudre et ça finit par la bombe atomique »

M. PAGNOL

237

« Tout travail tend à se dilater pour remplir le temps disponible »

C. N. PARKINSON

238

« J'aimais travailler, j'aimais travailler bien, j'aimais travailler vite, j'aimais travailler beaucoup »

C. PÉGUY

239

« Le contrat est l'acte par lequel deux ou plusieurs individus conviennent d'organiser entre eux dans une mesure et pour un temps déterminé cette puissance industrielle que nous appelons l'échange »

P. J. PROUDHON

240

« La propriété est le droit de jouir et de disposer à son gré du fruit de l'industrie et du travail d'autrui »

P. J. PROUDHON

241

« Deux cents grenadiers ont, en quelques heures, dressé l'obélisque de Louqsor sur sa base ; suppose-t-on qu'un seul homme, en deux cents jours, en serait venu à bout ? Cependant, au compte du capitaliste, la somme des salaires eût été la même »

P. J. PROUDHON

242

« La peur de l'ennui est la seule excuse du travail »

J. RENARD

243

« Pénurie d'essence ! Il y a de quoi pleurer »

ROMMEL

244

« Peuples, sachez donc une fois que la Nature a voulu vous préserver de la Science, comme une mère arrache une arme dangereuse des mains de son enfant »

J.-J. ROUSSEAU

245

« Ce sont le feu et le blé qui ont civilisé les hommes et perdu le genre humain... »

J.-J. ROUSSEAU

246

« Ces gens, qui savent bien moucher la lampe, mais qui n'y mettent jamais d'huile »

J.-J. ROUSSEAU

247

« Riche ou pauvre, puissant ou faible, tout citoyen oisif est un fripon »

J.-J. ROUSSEAU

248

« La nature a engendré le droit de communauté ; l'abus a fait le droit de propriété »

SAINT AMBROISE

249

« Vous déciderez si le peuple français doit être commerçant ou conquérant »

SAINT-JUST

250

« Un métier s'accorde mal avec le véritable citoyen ; la main de l'homme n'est faite que pour la terre et pour les armes »

SAINT-JUST

251

« Le seul endroit où le succès précède le travail est le dictionnaire »

V. SASSOON

252

« Le but de l'économie n'est pas le travail, mais la consommation »

A. SAUVY

253

« Il n'y a peut-être que deux états au-dessus du commerçant (...) : le magistrat, qui fait parler les lois, et le guerrier, qui défend la patrie »

SEDAINE

254

« L'homme ne peut utiliser que ce qu'il a appris à utiliser »

A. SHAH

255

« Ce ne sont pas les heures qui sont précieuses, ce sont les minutes »

G. B. SHAW

256

« Comme son fils Titus lui reprochait d'avoir imposé l'urine, il (Vespasien) lui mit sous le nez l'argent qu'avait rapporté l'impôt lors des premières rentrées et lui demanda s'il était incommodé par l'odeur »

SUÉTONE

257

« L'énergie, la persévérance, le jugement sont les facteurs déterminants des succès dans l'industrie : or ces qualités se rencontrent au même degré chez l'ouvrier et le diplômé »

F.W. TAYLOR

258

« Le travail est le vrai fondement de la propriété »

THIERS

259

« Une terre non labourée ne peut être une souffrance que pour celui qui voudrait la voir labourée, mais ne regarderait pas comme la tâche de sa vie de la labourer »

TOLSTOÏ

260

« Les oppresseurs savent qu'ils périront... dès qu'ils faibliront. Aussi ne faiblissent-ils pas, malgré leurs prétendus soucis du bien-être de l'ouvrier, de la journée de huit heures, de la réglementation du travail des enfants et des femmes, des caisses de retraite et des récompenses. Tout cela est supercherie, ou bien souci de laisser à l'esclave la force de travailler »

TOLSTOÏ

✗✗ ✍

261

« Non seulement le travail n'est pas une vertu, mais dans notre société défectueusement organisée, il est le plus souvent un des principaux moyens d'anesthésie (...) »

TOLSTOÏ

✗✗

262

« Il n'y a rien qui puisse empêcher notre civilisation occidentale de suivre un précédent historique (de déclin ou de chute) si elle choisit de commettre un suicide social »

A. TOYNBEE

✗✗ ✍

263

« Que ferons-nous pour être sauvés ? En politique, établir un système constitutionnel coopératif de gouvernement. En économie, trouver des compromis entre la libre entreprise et le socialisme »

A. TOYNBEE

✗✗ ✍

264

« La pratique innombrable rejoint un jour l'idéal, et s'y arrête, les millions d'essais de millions d'hommes convergent lentement vers la figure la plus économe et la plus sûre (...) Il y a des outils admirables, étrangement clairs, et nets comme des ossements, et comme eux qui attestent des actes et des forces, et rien de plus »

P. VALÉRY

265

« Oh, c'est très désagréable, écoutez, rien ne désorganise une armée comme la guerre ! »

B. VIAN

266

« Les inventeurs des arts mécaniques ont été bien plus utiles aux hommes que les inventeurs de syllogismes »

VOLTAIRE

267

« L'esprit de propriété double la force de l'homme : on travaille pour soi et pour sa famille avec plus de vigueur que pour un maître »

VOLTAIRE

268

« La science, aujourd'hui, cherchera une source d'inspiration au-dessus d'elle, ou périra »

S. WEIL

269

« Comme je ne suis pas payé en fonction de ce que je fais, je fais en fonction de ce que je suis payé »

G. WOLINSKI

270

« Dieu leur dit : fructifiez et multipliez-vous, remplissez la terre et soumettez-la »

LA BIBLE

271

« Tous les blancs ont une montre, mais ils n'ont jamais le temps »

PROVERBE AFRICAIN

272

« Poule qui chante et coq qui pond, c'est le diable à la maison »

PROVERBE FRANÇAIS

5

ANIMER, MOTIVER, RÉCOMPENSER

Le management, plus vieux métier du monde ? Entre le libre espace offert aux capacités de chacun et le souci de sécurité pour son organisation, le manager trouve sa voie, nourrie de beaucoup de pratique et d'un brin de théorie. Ceci n'exclut pas, bien au contraire, quelque réflexion sur l'exercice d'un pouvoir qui, où que l'on soit placé, suppose de conjuguer justesse, efficacité, et humilité ; Bourdaloue ne rappelait-il pas : *être placé au-dessus des autres n'est qu'une obligation plus étroite de travailler pour eux et les servir* ? (1)

(1) Extrait de *400 citations pour le manager – d'Héraclite à Woody Allen*, L. BOYER et R. BUREAU, Éditions d'Organisation.

✗	plutôt facile
✗✗	plutôt difficile
✎	au cours d'un discours
✎	dans le cadre d'un rapport ou pour alimenter leur réflexion personnelle

ANIMATION, MOTIVATION, RÉCOMPENSE

273

« Vous périrez certes pour ne pas avoir demandé à la jeunesse de la France ses forces et son énergie (...), pour avoir pris en haine les gens capables (...), pour avoir choisi en toute chose la médiocrité »

BALZAC

✗

274

« Le secret des forts est de se contraindre sans répit »

M. BARRÈS

✗

275

« Soyons ardents et sceptiques »

M. BARRÈS

✗

276

« Je progresserai d'autant mieux que vous m'autorisez à régresser »

B. BETTELHEIM

✗✗

277

« Il n'est pas de punition plus terrible que le travail inutile et sans espoir »

A. CAMUS

278

« Je tire de l'absurde trois conséquences qui sont ma révolte, ma liberté, ma passion. Par le seul jeu de ma conscience, je transforme en règles de vie ce qui était invitation à la mort et je refuse le suicide »

A. CAMUS

279

« Il me semble que les chefs doivent tout rapporter à ce principe : ceux qu'ils gouvernent doivent être aussi heureux que possible »

CICÉRON

280

« Je crois à la chance. C'est la seule explication pour le succès des gens qui nous sont antipathiques »

J. COCTEAU

281

« Le prince ne doit pas craindre de n'avoir pas une population nombreuse, mais de ne pas avoir une juste répartition des biens »

CONFUCIUS

282

« Le succès est plus doux à ceux qui ne réussissent jamais »

DICKINSON

283

« Ce qui nous trompe, c'est la prodigieuse variété de nos actions, jointe à l'habitude que nous avons prise en naissant de confondre le volontaire avec le libre »

DIDEROT

284

« Ne sème pas dans les sillons de l'injustice, de peur de la moissonner au septuple »

LA BIBLE (L'ECCLÉSIASTIQUE)

285

« Quiconque nie l'autorité et le combat est anarchiste »

S. FAURE

286

« Les hommes sentent dans leur cœur qu'ils sont un même peuple lorsqu'ils ont une communauté d'idées, d'intérêts, d'affections, de souvenirs et d'espérances »

FUSTEL DE COULANGES

287

« Tout salaire mérite travail »

Y. GATTAZ

288

« Le problème n'est pas de savoir s'il est socialiste, mais s'il est compétent ; s'il est compétent, il faut le garder même s'il est socialiste, s'il est incompétent, il faut s'en séparer même s'il est devenu gaulliste »

C. DE GAULLE

289

« Je n'aime pas les hommes, dit Prométhée, j'aime ce qui les dévore ! »

A. GIDE

290

« Le courage, c'est d'agir et de se donner aux grandes causes sans savoir quelle récompense réserve à notre effort l'univers profond, ni s'il lui réserve une récompense »

JAURÈS

291

« L'homme est un animal qui du moment où il vit parmi d'autres individus de son espèce a besoin d'un maître. Or ce maître, à son tour, est tout comme lui un animal qui a besoin d'un maître »

KANT

292

« Agis de telle sorte que tu traites l'humanité, aussi bien dans ta personne que dans la personne de tout autre, toujours en même temps comme une fin jamais simplement comme un moyen »

KANT
✗✗ ✎

293

« Chronologiquement, aucune connaissance ne précède en nous l'expérience et c'est avec elle que toutes commencent »

KANT
✗✗ ✎

294

« Et Dieu vit que cela était bon »

LA GENÈSE
✗ 🎤

295

« Dieu... a fait de belles promesses à tous mais il a destiné aux combattants une récompense plus grande encore qu'à ceux qui restent dans leurs foyers »

LE CORAN
✗✗ ✎

296

« Les hommes unis à la fois par l'espoir et par l'action accèdent, comme les hommes unis par l'amour, à des domaines auxquels ils n'accèderaient pas seuls »

A. MALRAUX
✗✗ ✎

297

« Dans un univers passablement absurde, il y a quelque chose qui n'est pas absurde, c'est ce que l'on peut faire pour les autres »

A. MALRAUX

✗ ✍

298

« Les grands rêves poussent les hommes aux grandes actions et aux mythomanies épiques »

A. MALRAUX

✗✗ ✍

299

« La vie est le domaine infini des possibles. Nous sommes par nous-mêmes des êtres en qui dort, mêlé, le courage ingénu des possibilités de nos actions et de nos rêves »

A. MALRAUX

✗ ✍

300

« Il est dangereux d'admettre le public dans les coulisses. Il perd facilement ses illusions, puis il vous en tient grief, car c'est l'illusion qu'il aime »

S. MAUGHAM

✗

301

« Si une once de vertu ajoute à l'efficacité née de la compétition, il faut beaucoup de compétition pour mettre fin à l'efficacité de la seule vertu »

A. MINC

✗✗ ✍

302

« Dans une hiérarchie, tout employé a tendance à s'élever à son niveau d'incompétence »

L. J. PETER

303

« Avec le temps, tout poste sera occupé par un employé incapable d'en assumer la responsabilité »

L. J. PETER

304

« La tendance invétérée des individus à s'adonner aux délices de la société domestique n'est freinée que par le principe de réalité »

D. RICARDO

305

« Ce qu'il a appris le matin, il semble le savoir de toute éternité »

ROYER-COLLARD

306

« Ne t'en vas pas au dehors, rentre en toi-même ; au cœur de la créature habite la vérité ; et une fois reconnue l'instabilité de la nature, dépasse-toi encore toi-même »

SAINT AUGUSTIN

307

« ... C'est le drame du service,
La préférence est donnée par lettre ou affection
Et ne va pas aux anciens pour qui chaque instant
A été l'héritier du premier »

SHAKESPEARE

XX

308

« L'ambition fait préférer une défaite à une victoire qui ternit la renommée du chef »

SHAKESPEARE

X

309

« Nous ne désirons aucune chose parce que nous la trouvons bonne... mais, au contraire, nous jugeons qu'une chose est bonne parce que nous la désirons »

SPINOZA

X

310

« Les hommes ne désirent pas être riches, mais être plus riches que les autres »

John STUART MILL

X

311

« Les feux de l'aurore ne sont pas si doux que les premiers regards de la gloire »

VAUVENARGUES

X

312

« Pour s'attirer et conserver l'estime des hommes, il ne suffit pas de posséder simplement richesse ou pouvoir, il faut encore les mettre en évidence, car c'est à l'évidence seule que va l'estime »

VEBLEN

✗✗ 🖉

313

« Si les imbéciles veulent encore du gland, laisse-les en manger ; mais trouve bon qu'on leur présente du pain »

VOLTAIRE

✗ 🖉

6

ATTITUDES, COMPORTEMENT, CARACTÈRES

Identifier les caractères des personnes, pour mieux les utiliser ou mieux les respecter ; connaître les pays et les peuples, pour mieux coopérer ; il peut se trouver, derrière la notion récente de développement des ressources humaines, l'idée que le progrès de chacun est lié à celui de l'institution pour laquelle il opère. Comme l'écrivait Emmanuel Mounier au début de ce siècle : *tout travail, travaille à faire un homme en même temps qu'une chose* (1).

(1) Extrait de *600 citations pour réfléchir avant d'agir – de Socrate à Camus*, L. BOYER et R. BUREAU, Éditions d'Organisation.

✗	plutôt facile
✗✗	plutôt difficile
✎	au cours d'un discours
✍	dans le cadre d'un rapport ou pour alimenter leur réflexion personnelle

ATTITUDES ET COMPORTEMENTS : COMPRÉHENSION, DÉVELOPPEMENT

314

« Résistance et obéissance, voilà les deux vertus du citoyen. Par l'obéissance, il assure l'ordre ; par la résistance, il assure la liberté »

ALAIN

315

« Tous les sentiments guerriers viennent d'ambition, non de haine »

ALAIN

316

« La grande affaire est de donner à l'enfant une haute idée de sa puissance, et de la soutenir par des victoires ; mais il n'est pas moins important que ces victoires soient pénibles, et remportées sans aucun secours étranger »

ALAIN

317

« Si l'on apprenait à penser comme on apprend à souder, nous connaîtrions le peuple roi »

ALAIN

318

« L'on a une sorte de droit de mentir à celui qui vous croit menteur (...) ; on ne frappe guère celui qui tient les mains sur ses poches (...) Cela mène fort loin, le jugement appelant la preuve, et la preuve fortifiant le jugement »

ALAIN
XX

319

« Nous n'avons point à louer ni a honorer nos chefs, nous avons à leur obéir à l'heure de l'obéissance, et à les contrôler à l'heure du contrôle »

ALAIN
X

320

« Dans la vie, il ne faut pas compter que sur soi-même, et encore pas beaucoup »

A. ALLAIS
X

321

« La seule attitude face à ce genre de choses est une totale indifférence »

R. BARRE
X

322

« Nul homme réfléchi ne peut espérer »

M. BARRÈS
X

323

« Il faut une sorte d'esprit pour faire fortune : ce n'est ni le bon ni le bel esprit, ni le grand ni le sublime, ni le fort ni le délicat »

J. DE LA BRUYÈRE

✗

324

« Les raisonnables ont duré, les passionnés ont vécu »

CHAMFORT

✗

325

« Les hommes ont confiance en un homme ordinaire parce qu'ils ont confiance en eux-mêmes. Les hommes donnent leur confiance à un grand homme parce qu'ils n'ont pas confiance en eux-mêmes »

G.K. CHESTERTON

✗✗

326

« Tous les jours, à tous les points de vue, je vais de mieux en mieux »

COUÉ

✗

327

« Pour examiner la vérité, il est besoin, une fois dans sa vie, de mettre toutes choses en doute autant qu'il se peut »

DESCARTES

✗ 🖊

328

« Aimable souvent est sable mouvant »

R. DESNOS

329

« Les hommes se répartissent en trois classes : les vaniteux, les orgueilleux et les autres. Je n'ai jamais rencontré les autres »

A. DETŒUF

330

« On est dédommagé de la perte de son innonence par celle de ses préjugés »

DIDEROT

331

« Si on prouve cependant, si on démontre mathématiquement (à l'homme) qu'il est une touche de piano forte, il inventera destruction et chaos »

DOSTOÏEVSKI

332

« Nous ne pouvons pas à la fois vivre dans la crainte de perdre notre emploi et être capable d'assumer la responsabilité de notre tâche »

P. DRUCKER

333

« Dis-toi d'abord qui tu veux être, puis fais en conséquence ce que tu dois faire »

ÉPICTÈTE

✗

334

« Une fois qu'on a dépassé la mesure, il n'y a plus de limite »

ÉPICTÈTE

✗

335

« Le caractère, voilà ce qui dure, et non pas la fortune »

EURIPIDE

✗

336

« L'autonomie est une discipline. L'étymologie du mot l'indique. La liberté déréglée, l'esclavage des caprices ne peuvent porter le nom d'autonomie »

FERRIÈRE

✗✗

337

« Faute de pouvoir voir clair, nous voulons, à tout le moins, voir clairement les obscurités »

FREUD

✗✗

ATTITUDES, COMPORTEMENT, CARACTÈRES

338

« C'est dans l'extraordinaire que je me sens le plus naturel »

A. GIDE

339

« En général, les gens intelligents ne sont pas courageux et les gens courageux ne sont pas intelligents »

C. DE GAULLE

340

« Napoléon, dans le concours des grands hommes, est toujours avant Parmentier... »

C. DE GAULLE

341

« Un vice-président ? Qu'aurait-il à faire ? Attendre ma mort ?

C. DE GAULLE

342

« Le désir est un attrait que l'on subit, la volonté un pouvoir que l'on exerce »

E. GOBLOT

343

« Au fond, nous sommes tous des êtres collectifs... Tous nous devons recevoir et apprendre autant de ceux qui étaient avant nous que de nos contemporains... »

GOETHE

XX

344

« Le premier fait qui soit compris dans le mot de civilisation, c'est le fait de progrès, de développement... »

F. GUIZOT

X

345

« Isolé du reste du monde, sans personne qui me fasse douter ou me tyrannise, je n'avais qu'un souci : rester original »

J. HAYDN

X

346

« J'appelle superstition, tout système où les individus imaginent qu'ils en savent plus qu'ils n'en connaissent en réalité »

HAYEK

X

347

« Une société devient folle lorsque les gens réunis se conduisent de manière insensée »

F. HERZBERG

X

348

« Ce n'est pas la masse qui crée ni la majorité qui organise ou réfléchit, mais toujours et partout l'individu isolé »

A. HITLER

349

« Le genre humain a toujours été en progrès et continuera toujours de l'être à l'avenir ; ce qui ouvre une perspective à perte de vue dans le temps »

KANT

350

« Penserions-nous beaucoup et penserions-nous bien si nous ne pensions pas pour ainsi dire avec d'autres »

KANT

351

« Il ne peut pas y avoir de crise la semaine prochaine. Mon agenda est déjà plein »

H. A. KISSINGER

352

« La vertu n'irait pas loin si la vanité ne lui tenait compagnie »

LA ROCHEFOUCAULD

353

« La nation (française) est trop vaine, trop éprise, des titres et des avantages extérieurs. Tous, même les gens du commun, veulent être en relations avec les grands ; et la société de leurs égaux leur paraît une mauvaise société »

E. G. LESSING

✗

354

« Les hommes les plus humains ne font pas la révolution : ils font les bibliothèques ou les cimetières »

A. MALRAUX

✗

355

« Vivre, c'est transformer en conscience une expérience aussi large que possible »

A. MALRAUX

✗✗

356

« L'homme ne devient homme que dans la poursuite de sa voie la plus haute »

A. MALRAUX

✗

357

« Réussite : accession au dernier poste, c'est-à-dire au niveau d'incompétence »

A. MALRAUX

✗

358

« Tout homme rêve d'être Dieu »

A. MALRAUX

359

« Une éducation est réussie le jour où l'adolescent peut dire à ses parents et à ses maîtres : vous vous êtes trompés, votre univers, nous, on n'en veut pas »

M. MANNONI

360

« Connaître consiste à devenir essentiellement l'autre en tant qu'autre »

J. MARITAIN

361

« Il s'élève en lui (le capitaliste) un conflit à la Faust entre le penchant à l'accumulation et le penchant à la jouissance »

K. MARX

362

« Quiconque n'est pas révolutionnaire à seize ans, n'a plus à trente ans assez d'énergie pour faire un capitaine de pompiers »

A. MAUROIS

363

« Dans une communauté d'intérêts, il y a danger dès qu'un membre devient trop puissant »   MAZARIN

364

« C'est une expérience éternelle que tout homme qui a du pouvoir est porté à en abuser ; il va jusqu'à ce qu'il trouve les limites. Qui le dirait ! La vertu même a besoin de limites »   MONTESQUIEU

365

« Toute personne dans une situation d'autorité incontestée, libre de toute critique, court le danger de devenir un tyran ! »   M. MONTESSORI

366

« Les conditions nouvelles qui entraîneront en gros l'apparition d'hommes tout pareils et pareillement médiocres sont éminemment propres à donner naissance à des hommes d'exception du genre le plus dangereux et le plus séduisant »   NIETZSCHE

367

« Nous devons nous évertuer à réduire les conflits, mais non pas à les supprimer. Leur existence même est essentielle à la société ouverte »

K. POPPER

368

« Être optimiste est un devoir moral »

K. POPPER

369

« On refuse dédaigneusement, à cause de ce qu'on aime aujourd'hui, de voir ce qu'on aimera demain »

PROUST

370

« Un vizir aux sultans fit toujours quelque ombrage »

RACINE

371

« Jamais on ne vaincra les Romains que dans Rome »

RACINE

372

« Mirabeau est capable de tout pour de l'argent, même d'une bonne action »

RIVAROL

373

« Les seules connaissances qui puissent influencer le comportement d'un individu sont celles qu'il découvre lui-même et qu'il s'approprie »

C. ROGERS

374

« La race gauloise manque de réserve et de chasteté »

SAINTE-BEUVE

375

« Nous n'étions pas du côté de l'histoire faite ; nous étions situés de telle sorte que chaque minute vécue nous apparaissait comme irréductible »

SARTRE

376

« Je veux m'entourer d'hommes gras...Cassius là-bas a un air maigre et affamé ; il pense trop ; ces hommes sont dangereux... »

SHAKESPEARE

377

« Le sabotage est un procédé de l'ancien régime et ne tend nullement à orienter le travailleur dans la voie de l'émancipation »

G. SOREL

378

« C'est un défaut commun aux hommes que de confier aux autres leurs desseins »

SPINOZA

379

« On nous le répète à l'école : « La vanité est le plat des sots. Mais les sages aussi condescendent à y goûter de temps en temps... »

J. SWIFT

380

« Un homme plein de lui-même fait un joli petit paquet »

W. THACKERAY

381

« Dans la plupart des opérations de l'esprit, chaque Américain n'en appelle qu'à l'effort individuel de sa raison »

TOCQUEVILLE

382

« L'orgueil de son travail rend, non seulement la fourmi, mais l'homme cruel »

TOLSTOÏ

383

« Les immigrés ont plus de capacité que les Français d'origine métropolitaine à former des projets individuels »

A. TOURAINE

 ✗ 🎤

384

« Le défaut d'ambition, dans les grands, est quelquefois la source de beaucoup de vices (...) l'ambition, au contraire, les rend accessibles, laborieux, honnêtes, serviables, etc., et leur fait pratiquer les vertus qui leur manquent par nature »

VAUVENARGUES

✗✗ ✍

385

« Regrettera qui veut le bon vieux temps...
Et le jardin de nos premiers parents.
Moi, je rends grâce à la nature sage,
Qui pour mon bien m'a fait naître en cet âge
Tant décrié par nos pauvres docteurs »

VOLTAIRE

✗ ✍

386

« En période de prospérité : prudence ; dans l'adversité : patience »

PROVERBE AMÉRICAIN

 ✗ 🎤

7

COMMUNICATION, IMAGE

Dans communication, il y a à la fois échange et négociation, ouverture et marchandage, information et orientation de l'opinion. *Si vous n'arrivez pas à les convaincre, troublez-les* (1), disait Truman. Arme essentielle de cette fin de siècle, potion magique multiplicatrice, la communication reste à manipuler avec précaution : car si, selon Ionesco, *les paroles seules comptent, tout le reste est bavardage* (2), Joubert rappelle que *la parole enseigne, l'exemple entraîne* (2).

---

(1) Extrait de *600 citations pour réfléchir avant d'agir – de Socrate à Camus*, L. BOYER et R. BUREAU, Éditions d'Organisation.
(2) Extrait de *400 citations pour le manager – d'Héraclite à Woody Allen*, L. BOYER et R. BUREAU, Éditions d'Organisation.

✗	plutôt facile
✗✗	plutôt difficile
✎	au cours d'un discours
✍	dans le cadre d'un rapport ou pour alimenter leur réflexion personnelle

COMMUNICATION ET IMAGE

387

« Le symbole est au sentiment ce que l'allégorie est à la pensée »

ALAIN
✗✗

388

« Si vous mêlez de dire les vérités désagréables à l'homme qui peut vous ouvrir les chemins, ne dites point que vous vouliez passer »

ALAIN
✗

389

« Une agence de publicité : 85 % de confusion et 15 % de commission »

F. ALLEN
✗ 🎤

390

« Il faut ajouter systématiquement à l'étude d'une image particulière l'étude de sa mobilité, de sa fécondité, de sa vie »

G. BACHELARD
✗

391

« Dès qu'elle est proférée, fût-ce dans l'intimité la plus profonde du sujet, la langue entre au service d'un pouvoir »

R.BARTHES

XX ✍

392

« Je dirai qu'un objet a un sens quand il est l'incarnation d'une réalité qui le dépasse mais qu'on ne peut saisir en dehors de lui »

R. BARTHES

XX ✍

393

« La langue est système commun à tous ; le discours est à la fois porteur d'un message et instrument d'action »

E. BENVENISTE

X ✎

394

« Il ne faut pas partager le monde entre les gens qui mentent et ceux qui disent la vérité, mais entre ceux à qui l'on dit la vérité et ceux à qui l'on est obligé de mentir »

T. BERNARD

X ✎

395

« Toute classe dirigeante qui ne peut maintenir sa cohésion qu'à condition de ne pas agir, qui ne peut durer qu'à la condition de ne pas changer (...), est condamnée à disparaître »

L. BLUM

XX ✎

396

« Le style est l'homme même »

BUFFON

397

« Ici, voyez-vous, il faut courir tant qu'on peut pour rester à la même place »

L. CAROLL

398

« Je suis un mensonge qui dit toujours la vérité »

J. COCTEAU

399

« Qu'il s'agisse d'une bête ou d'un enfant, convaincre, c'est affaiblir »

COLETTE

400

« Tu veux que je t'écoute et tu me fais mourir »

CORNEILLE

401

« Que soient nombreux ceux que tu salues, mais pour tes conseillers n'en aie qu'un entre mille »

L'ECCLÉSIASTIQUE

402

« On transforme sa main en la mettant dans une autre »

P. ÉLUARD

403

« Si l'on vient te dire que quelqu'un a mal parlé de toi, réponds : il faut qu'il ignore tous mes autres défauts, pour ne parler que de ceux qui lui sont connus »

ÉPICTÈTE

404

« Ceux qui parlent la même langue forment un tout que la pure nature a lié par avance de mille liens invisibles »

FICHTE

405

« Les diplomates ne sont utiles que par beau temps. Dès qu'il pleut, ils se noient dans chaque goutte »

C. DE GAULLE

406

« J'appelle journalisme tout ce qui aura moins de valeur demain qu'aujourd'hui »

A. GIDE

407

« Imaginons, que nous autres occidentaux, soyons une tribu d'Amazonie et que nous soyons découverts par des ethonologues. Comment nous verraient-ils ? »

P. GIRARD

408

« La pensée vole et les mots vont à pied »

J. GREEN

409

« Le langage qu'un homme parle est un monde dans lequel il vit et agit ; il lui appartient plus profondément, plus essentiellement que la terre et les choses qu'il nomme son pays »

R. GUARDINI

410

« L'homme politique n'est plus le représentant de l'intérêt général. Il est devenu le gestionnaire d'un fonds de commerce : l'opinion publique est un marché »

HAYEK

411

« Personne ne garde un secret comme un enfant »

V. HUGO

412

« La parole, les mots, la langue sont fixés par une convention et un accord humains »

HUME

413

« Les mots peuvent ressembler aux rayons X, si l'on s'en sert convenablement, ils transpercent n'importe quoi »

A. HUXLEY

414

« La singularité est subversive »

E. JABES

415

« Aujourd'hui, dans la presse, seules les publicités disent la vérité »

T. JEFFERSON

416

« La critique, indulgente aux corbeaux, s'acharne sur les colombes »

J. JUVÉNAL

✗ 🎤

417

« La situation devient sérieuse lorsque l'entreprise n'est plus qu'une bulle d'air dans le tourbillon spéculatif »

KEYNES

✗✗ ✍

418

« Aux fêtes d'ici-bas j'ai toujours sangloté : « Vanité, vanité, tout n'est que vanité ! » Puis je songeais : où sont les cendres du psalmiste ? »

J. LAFORGUE

✗✗ ✍

419

« La langue est le ciment des actes ; non seulement elle les rend explicites, mais elle en conserve l'empreinte »

A. LEROI-GOURHAN

✗✗ ✍

420

« Être homme c'est réduire au maximum sa part de comédie »

A. MALRAUX

✗

421

« Pour l'essentiel, l'homme est ce qu'il cache : un misérable petit tas de secrets »

A. MALRAUX

422

« Nous avons inventé les usines à rêve les plus prodigieuses que l'humanité ait jamais connues »

A. MALRAUX

423

« Les événements qui touchent à la légende promettent l'imprévisible, diffèrent le destin »

A. MALRAUX

424

« Nous ne savons pas ressusciter les corps, mais nous commençons à savoir ressusciter les rêves »

A. MALRAUX

425

« L'écrivain n'est pas le transcripteur du monde, il en est le rival »

A. MALRAUX

426

« La virilité d'un homme, c'est d'abord ce qu'il cache »

A. MALRAUX

✗✗ ✍

427

« Je mens, mais mes mensonges deviennent des vérités »

A. MALRAUX

✗ 🎤

428

« Veille, pour flatter le peuple, à rendre compte de tes actes, mais seulement après coup, afin que personne ne se mêle de contester tes décisions »

MAZARIN

✗ ✍

429

« Si jamais on te démet de tes fonctions, manifeste publiquement ta satisfaction, et même ta reconnaissance envers celui qui t'a rendu la quiétude et le loisir auxquels tu aspirais (...) : ainsi éviteras-tu qu'à la disgrâce s'ajoute le sarcasme »

MAZARIN

✗ ✍

430

« La dénomination des objets ne vient pas après la connaissance, elle est la connaissance même... Le mot porte le sens, et, en l'imposant à l'objet, j'ai conscience d'atteindre l'objet »

MERLEAU-PONTY

✗ ✍

COMMUNICATION, IMAGE

431

« Je vis de bonne soupe et non de beau langage »

MOLIÈRE

432

« J'aime mieux dire la vérité en mon langage rustique que mensonge en un langage théorique »

B. PALISSY

433

« Dire la vérité est utile à celui à qui on la dit, mais désavantageux à ceux qui la disent, parce qu'ils se font haïr »

PASCAL

434

« Mais toi tu veux savoir sans doute le nom de l'orateur et son pays d'origine et tu ne te contentes pas de savoir si ce qu'il dit est vrai ou faux »

PLATON

435

« Le fait est que, de nature et originellement, aucun nom n'appartient à rien en particulier, mais bien en vertu d'un décret et d'une habitude, à la fois de ceux qui ont pris cette habitude et ceux qui ont décidé cette appellation »

PLATON

436

« Refusez, la fragmentation des connaissances, pensez à tout, ne vous laissez pas noyer par la montée des informations puisque vous avez la chance de vivre en cette fin du XXe siècle »

K. POPPER

437

« Il y a dans l'homme quelque chose de supérieur à la langue, c'est la volonté »

E. RENAN

438

« Le langage figuré fut le premier à naître, le sens propre fut trouvé en dernier »

J.-J. ROUSSEAU

439

« Soyez sûre qu'on me reprocherait moins de paradoxes, si l'on pouvait me reprocher des erreurs »

J.-J. ROUSSEAU

440

« Ô Français et Françaises, nation parlière, que vous donnez de force aux mots, et que vous en donnez peu aux choses »

J.-J. ROUSSEAU

441

« Et je me réfugie, faute de mieux, dans l'espoir que j'aurai peut-être un peu d'épanouissement posthume à l'endroit de mes livres »   R. ROUSSEL

✗

442

« La seconde planète était habitée par un vaniteux : Ah ! Ah ! voilà la visite d'un admirateur ! » s'écria de loin le vaniteux dès qu'il aperçut le Petit Prince. Car pour les vaniteux, les autres hommes sont des admirateurs »

SAINT-EXUPÉRY

✗

443

« C'est ce qui échappe aux mots que les mots doivent dire »   N. SARRAUTE

✗ 🖊

444

« Le monde entier est une scène...
Chacun fait ses entrées, chacun fait ses sorties,
Et notre vie durant, nous jouons plusieurs rôles »

SHAKESPEARE

✗ 🖊

445

« L'évolution du langage n'est pas séparable de l'histoire du désir et de la sexualité, elle se confond avec les étapes de la socialisation ; elle entretient des rapports étroits avec les divers modes de subsistance et de production »

J. STAROBINSKI

✗✗

446

« Chaque langue dit le monde à sa façon. Chacune édifie des mondes et des anti-mondes à sa manière. Le polyglotte est un homme plus libre »

R. STEINER

447

« Aux hommes qui veulent soutenir que l'angle aigu de leur maison est droit, il ne faut pas parler de la perpendicularité des côtés, parce qu'en l'affirmant, ils se contredisent eux-mêmes »

TOLSTOÏ

448

« Dieu a fait l'homme à son image, mais l'homme le lui a bien rendu »

VOLTAIRE

449

« Un point géométrique est une abstraction de l'esprit »

VOLTAIRE

450

« S'il est au monde rien de plus fâcheux que d'être quelqu'un dont on parle, c'est d'être quelqu'un dont on ne parle pas »

O. WILDE

« L'imagination est la réalité et la réalité n'est rien »
O. WILDE

✗

8

ÉTHIQUE, FINALITÉS

Il semble qu'on ait, dans la période récente quelque peu confondu l'éthique et le simple respect des lois. L'entreprise, dernier refuge des valeurs ? Casimir-Perier écrivait : *les grandes questions de responsabilité morale ne doivent pas nous faire perdre de vue les questions d'ordre et de comptabilité* (1). L'avenir des philosophes en entreprise paraît moins assuré que celui des juristes, même si l'efficacité se drape dans les oripeaux de la vertu.

(1) Extrait de *600 citations pour réfléchir avant d'agir – de Socrate à Camus*, L. BOYER et R. BUREAU, Éditions d'Organisation.

✗	plutôt facile
✗✗	plutôt difficile
🖊	au cours d'un discours
✍	dans le cadre d'un rapport ou pour alimenter leur réflexion personnelle

ÉTHIQUE ET FINALITÉS

452

« Ô, Épictète, reviens au monde et vois nos maîtres de morale courant comme des rats et cherchant un trou »

ALAIN

453

« Être libéral, c'est non seulement accepter les opinions divergentes, mais admettre que ce sont peut-être nos adversaires qui ont raison ! »

BERLIN

454

« Une même loi pour le lion et le bœuf, c'est l'oppression »

W. BLAKE

455

« Le contraire d'une vérité banale, c'est une erreur stupide. Le contraire d'une vérité profonde, c'est une autre vérité profonde »

N.BOHR

456

« Si toutes les expériences sont indifférentes, celle du devoir est aussi légitime qu'une autre »

A. CAMUS

XX ✍

457

« Je continue à croire que ce monde n'a pas de sens supérieur. Mais je sais que quelque chose en lui a du sens et c'est l'homme, parce qu'il est le seul être à exiger d'en avoir »

A. CAMUS

X ✍

458

« Nous qui sommes des libéraux, nous avons jadis accepté le libéralisme avec légèreté comme un truisme. Maintenant qu'il a été combattu, nous le professons farouchement comme une foi »

G. K. CHESTERTON

XX ✍

459

« Il n'existe que deux manières de gagner la partie : jouer cœur ou tricher »

J. COCTEAU

X

460

« L'amour pour principe ; l'ordre pour base et le progrès pour but »

A. COMTE

X

461

« À force d'être juste on est souvent coupable »

CORNEILLE

✗

462

« Les nations pauvres, c'est là où le peuple est à son aise ; les nations riches, c'est là où il est ordinairement pauvre »

DESTUTT DE TRACY

✗✗

463

« Notre véritable sentiment n'est pas celui dans lequel nous n'avons jamais vacillé, mais celui auquel nous sommes le plus habituellement revenus »

DIDEROT

✗✗

464

« Il n'y a dans la nature que du noir et du blanc »

GOYA

✗ ✍

465

« Les intellectuels libéraux doivent être des agitateurs »

HAYEK

✗ ✎

466

« Là où il n'y a pas de puissance commune, il n'y a pas de loi ; là où il n'y a pas de loi, il n'y a pas d'injustice. La force et la ruse sont en guerre les deux vertus cardinales »

HOBBES

✗✗

467

« Gagnez d'abord de l'argent ; la vertu vient ensuite »

HORACE

✗

468

« Voilà bien les hommes ! Tous également scélérats dans leurs projets, ce qu'ils mettent de faiblesse dans l'éxécution, ils l'appellent probité »

LACLOS

✗✗

469

« Comme il y a certaines qualités qui semblent être des vertus et qui feraient la ruine du prince, de même il en est d'autres qui paraissent être des vices, et dont peuvent résulter néanmoins sa conservation et son bien-être »

MACHIAVEL

✗

470

« Tous les peuples arrivés à la démocratie étaient majoritairement analphabètes. Et c'est sous la démocratie que la plupart d'entre eux ont vaincu l'analphabétisme »

N. MAHFOUZ

✗

471

« Le peuple français ne veut rien, ne peut rien vouloir et ne sait ce qu'il veut »

MAINE DE BIRAN

 ✗

472

« L'intelligence, c'est la destruction de la comédie, plus le jugement, plus l'esprit hypothétique »

A. MALRAUX

✗✗ ✍

473

« Qui aurait pensé que le peuple de la chevalerie, des croisades, deviendrait le peuple de la Révolution ? »

A. MALRAUX

 ✗

474

« Ceux qui semblent voués au mal, peut-être étaient-ils élus avant les autres, et la profondeur de leur chute donne la mesure de leur vocation »

F. MAURIAC

✗✗ ✍

475

« On était libre avec les lois, on veut être libre contre elles ; (...) Ce qui était maxime, on l'appelle rigueur ; ce qui était règle, on l'appelle gêne ; (...) La république est une dépouille ; et sa force n'est plus que le pouvoir de quelques citoyens et la licence de tous »

MONTESQUIEU

✗✗ ✍

ÉTHIQUE, FINALITÉS

476

« Le principe de la monarchie se corrompt lorsque des âmes singulièrement lâches (...) croient que ce qui fait que l'on doit tout au prince fait que l'on ne doit rien à sa patrie »

MONTESQUIEU

XX

477

« Le sucre serait trop cher, si l'on ne faisait travailler la plante qui le produit par des esclaves »

MONTESQUIEU

X

478

« Les politiques grecs (...) ne reconnaissent d'autre force (...) que celle de la vertu. Ceux d'aujourd'hui ne vous parlent que de manufactures, de commerce, de finances, de richesses et de luxe même »

MONTESQUIEU

X

479

« La métaphysique, la morale, la religion, la science, sont considérées comme des formes diverses de mensonge : il faut leur aide pour croire à la vie »

NIETZSCHE

X

480

« La guerre, c'est la paix, la liberté c'est l'esclavage, l'ignorance c'est la force »

G. ORWELL

X

481

« La vraie morale se moque de la morale »

PASCAL

482

« Que peuvent les lois, là où seul l'argent est roi ? »

PÉTRONE

483

« Il faut aller à la vérité avec toute son âme »

PLATON

484

« Je constate que le développement de l'économie réelle n'a rien à voir avec la science économique. Bien qu'on les enseigne comme s'il s'agissait de mathématiques, les théories économiques n'ont jamais eu la moindre utilité pratique... »

K. POPPER

485

« Combattre maladroitement pour une juste cause vaut mieux que d'être le redoutable soldat de l'injustice »

RAIMOND VI

486

« Celui qui obéit est presque toujours meilleur que celui qui commande »

E. RENAN

487

« Un petit particulier humain m'intéresse plus que l'humain général »

J. RENARD

488

« L'humanité est une vieille ivrognesse qui, pour le moment, cuve sa dernière guerre »

J. ROMAINS

489

« Ô vertu, science sublime des âmes simples, faut-il donc tant de peines et d'appareils pour te connaître ? »

J.-J. ROUSSEAU

490

« La destinée d'un peuple se compose de ceux qui visent à la gloire et de ceux qui visent à la fortune »

SAINT-JUST

491

« Le plus puissant est celui qui a la puissance sur lui-même »

SÉNÈQUE

✗

492

« Ce que tu as la force d'être, tu as aussi le droit de l'être »

M. STIRNER

✗

493

« Chacune de ces petites sociétés ne vit donc que pour soi, n'a d'affaires que celles qui la touchent »

TOCQUEVILLE

✗

494

« Dans les siècles démocratiques, où les devoirs de chaque individu envers l'espèce sont bien plus clairs, le dévouement envers un homme devient plus rare ; le lien des affections humaines s'étend et se desserre »

TOCQUEVILLE

✗✗

495

« Dans quelques dizaines d'années, ce ne seront plus les États européens qui dicteront la loi aux Orientaux, mais ce seront les Orientaux qui seront les maîtres du monde et les chrétiens leurs vassaux »

TOLSTOÏ

✗✗

496

« Le bonheur repose sur le malheur, le malheur couve sous le bonheur. Qui connaît leur apogée respective ? »

LAO TSEU

497

« Le but de la société ne saurait être seulement la production des richesses. Ce but est la plus grande diffusion possible de l'aisance, de bien-être et de la morale parmi les hommes »

A. DE VILLENEUVE-BARGEMONT

498

« Aime la vérité et pardonne à l'erreur »

VOLTAIRE

499

« Car si ce Dieu, que le puritain voit à l'œuvre dans toutes les circonstances de la vie, montre à l'un de ses élus une chance de profit, il le fait à dessein. Partout, le bon chrétien doit répondre à cet appel... »

M. WEBER

500

« Quand j'étais jeune, je croyais que, dans la vie, l'argent était le plus important. Maintenant que je suis vieux, je le sais »

O. WILDE

INDEX
DES AUTEURS

C

E

EINSTEIN (Albert), Physicien allemand, naturalisé suisse puis américain (1879-1955), 11, 60

ÉLUARD (Eugène GRINDEL, dit Paul), Poète français (1895-1952), 402

ENGELS (Friedrich), Théoricien socialiste allemand (1820-1895), 129

ÉPICTÈTE (Epiktêtos en grec), Philosophe stoïcien (50-125 ou 130), 12, 61, 333, 334, 403

EURIPIDE (en grec Euripidês), Poète tragique grec (– 480/– 406), 335

F

FAURE (Sébastien), Anarchiste français (1858-1942), 285

FAYOL (Henri), Ingénieur français (1841-1925), 13, 130

FERRIÈRE (Adolphe), Pédagogue suisse (1879-1960), 336

FICHTE (Johann Gottlieb), Philosophe allemand (1762-1814), 404

FORD (Henry), Industriel américain (1863-1947), 199

FRANCE (Anatole François THIBAULT, dit Anatole), Écrivain français (1844-1924), 62

G

H

J

N

NAPOLÉON, Empereur des Français, 1804-1815 (1769-1821), 232

NEVEU (Gérald), Poète français (1921-1960), 88

NEWTON (Sir Isaac), Physicien et penseur anglais (1642-1727), 233

NIETZSCHE (Friedrich), Philosophe allemand (1844-1900), 31, 89, 90, 234, 235, 366, 479

NOVALIS (Friedrich, baron von HARDENBERG, dit) Poète allemand (1772-1801), 91

O

ORWELL (Éric, Arthur BLAIR dit George), Philosophe et romancier anglais (1903-1950), 480

P

PAGNOL (Marcel), Écrivain et auteur français (1895-1974), 236

PALISSY (Bernard), Céramiste, savant et écrivain français (1510-1589 ou 1590), 432

PARKINSON (Cyril Northcote), Historien et journaliste anglais (1909-), 237

R

T

V

PROVERBES

Composé par EDIE (Seine-et-Marne)

Achevé d'imprimer en juillet 2002
sur les presses de la Nouvelle Imprimerie Laballery
58500 Clamecy
Dépôt légal : juillet 2002
Numéro d'impression : 207137
N° d'éditeur : 1857

Imprimé en France